“亮丽内蒙古”文化普及口袋书

匠心自然

田宏利◎编著

内蒙古人民出版社

图书在版编目（CIP）数据

爱上内蒙古．匠心自然 / 田宏利编著．—呼和浩特：内蒙古人民出版社，2021.10
（“亮丽内蒙古”文化普及口袋书）
ISBN 978-7-204-16894-1

Ⅰ．①爱… Ⅱ．①田… Ⅲ．①内蒙古－概况②自然地理－介绍－内蒙古 Ⅳ．①K922.6 ②K928.702.6

中国版本图书馆CIP数据核字（2021）第216396号

爱上内蒙古·匠心自然

作　　者	田宏利
策划编辑	王　静
责任编辑	董丽娟　贾大明
封面设计	吉　雅
出版发行	内蒙古人民出版社
地　　址	呼和浩特市新城区中山东路8号波士名人国际B座5楼
网　　址	http://www.impph.cn
印　　刷	内蒙古恩科赛美好印刷有限公司
开　　本	889mm×1194mm　1/48
印　　张	2.1
字　　数	41千
版　　次	2021年10月第1版
印　　次	2023年2月第1次印刷
书　　号	ISBN 978-7-204-16894-1
定　　价	10.00元

如发现印装质量问题，请与我社联系。
联系电话：（0471）3946120

编 委 会

主　　编：戚向阳

执行主编：王　静

编　　委：樊志强　杨国华　李　欢

梁天超　李淑兰

摄　　影：赵毕力格　袁双进

「亮丽内蒙古」文化普及口袋书

开 电子书库

阅读本丛书全部电子书，全方位了解内蒙古。

看 纪录片

从影视作品中了解内蒙古的历史文化。

赏析 蒙古族长调艺术

聆听蒙古族长调民歌，带你领略蒙古族音乐的独特魅力。

旅行交流圈

聊聊你眼中的内蒙古。

微信扫码

序

内蒙古是一个走进去就会爱上她的地方。

这里有辽阔壮美的天然草原——呼伦贝尔草原无边无际，科尔沁草原绿草如茵，鄂尔多斯草原草长莺飞，阿拉善荒漠草原苍茫神秘；有我国面积最大的原始林区——大兴安岭林海莽莽苍苍，美景如画；有生态类型多样的世界地质公园——阿尔山世界地质公园里有亚洲面积最大的火山地貌景观，克什克腾世界地质公园是我国北部环境演化的自然博物馆，阿拉善沙漠世界地质公园中的沙漠景观、戈壁景观、峡谷景观和风蚀地貌景观交相辉映。

这里也是“歌的海洋”“酒的故乡”“舞蹈的天堂”——一首首歌曲犹

如一泓清澈的甘泉，从苍茫遥远的天边流泻而来；一杯杯美酒醇香甘甜，醉人心田；一支支舞蹈激情澎湃地舞动着青春的活力，舞动着生命的力量。这里还有丰富多样、风味独特的美食佳肴，有悠久灿烂的地域文化及独具魅力的民俗风情，有蒙汉合璧、别具匠心的宏伟建筑，有革命历史文化底蕴深厚的庄严肃穆的红色旅游胜地……

这些都是内蒙古以昂然之姿向世人展示自己的美丽的底气。这套《“亮丽内蒙古”文化普及口袋书》策划的初心和使命，就是从自然景观、人文景观、民俗文化、地域文化、饮食文化及红色旅游、城区建设等多个方面展现内蒙古自治区的亮丽风采以及各族人民在中国共产党的正确领导下，始终坚定地沿着中国特色社会主义道路奋勇前进，共同团结奋斗、共同繁荣发展的崭新时代风貌。

假如这般如诗如画的美景和悠久璀璨的历史文化还不足以打动你，那么，请到内蒙古来吧，生活在这片土地上的勇敢、诚信、友善的各族人民将带你深入领略内蒙古经济发展、社会进步、文化繁荣、民族团结、边疆安宁、生态文明、人民幸福的亮丽风景线，为你提供N个爱上内蒙古的理由。

扫码查看
★同系列电子书
★内蒙古纪录片

目录

古朴清幽的大召

扫码查看
★同系列电子书
★内蒙古纪录片

明万历八年（公元 1580 年），藏传佛教寺院大召于归化城（今呼和浩特市旧城）南门外建成，万历皇帝赐名“弘慈寺”，后改为“无量寺”。

大召的主体建筑为汉藏结合式形制，占地面积三万余平方米，建筑面积八千多平方米，是呼和浩特最早兴建的喇嘛教寺院。

寺院不设活佛，这是因为康熙皇帝

无量寺

曾在此小住，为了表示对皇帝的尊敬，僧侣们取消了活佛转世的规定。也就是在那个时候，大召的主佛殿加供了皇帝金牌，并将殿顶改换成黄色琉璃瓦，大召遂成“帝庙”。

走进大召，时浓时淡的藏香伴着时断时续的诵经声，把人带到了另一个时空——仿佛眼前这座地处现代都市的佛寺仍停留在四百多年前的沧桑岁月里。虽然寺外早已改换了天地，但寺内经声依旧、香火不绝，到处都弥漫着肃穆清幽的气息。

大召的主要建筑有山门、天王殿、菩提过殿、九间楼、经堂、佛殿等，经堂与佛殿连在一起，统称“大殿”。

大殿为木结构建筑，殿内耸立着三尊高大的佛和菩萨铸像，殿壁上有描绘康熙私访明月楼的巨幅壁画。

经堂门前阶下，有明天启七年（公元 1627 年）铸造的一对昂首扬威的空心铁狮。庭院中还有一只铸造于清朝的铁香炉，上面刻着蒙古族工匠的姓名。

大召“三绝”之龙雕

穿过大殿的侧廊进入后殿，正中供奉着释迦牟尼的银铸佛像，据说这尊佛像用一吨半纯银铸造而成，曾由三世达赖开光。用黄泥纸浆塑成的盘龙在释迦牟尼像前高大的红柱上呈双龙戏珠状。双龙自地面冲天而起，颇有神韵，历经数百年风雨侵蚀，仍栩栩如生、色彩艳丽。大殿的墙壁上是用颜料绘制的佛教典故图画。

大召一年当中会举行两次盛大的佛

事活动。

其一为晾大佛，即每年的农历正月十五和六月十五，要将寺内珍藏的一幅长二丈、宽一丈半的佛像抬出来挂在佛殿前展晾，防止虫蛀。

其二为跳恰木，即跳神舞，有打鬼驱邪、庆贺丰收和预祝来年吉祥如意等多层含义。每年的农历正月十五和六月十五，大召都要举行跳恰木活动。跳恰木时，舞蹈人员要穿上特定的服装，戴

晾佛

上面具，扮成各种神灵模样，在大号、法螺、大镲、腿骨号等乐器的伴奏下起舞。跳恰木的场面庄严而热烈。

大召还会在每年的农历正月和六月举行送“巴令”活动。“巴令”是一种用面捏成的三棱状身躯、头顶骷髅的魔鬼形象。送“巴令”时，要先诵经祈祷，之后由两人将“巴令”从佛殿抬到广场上，然后再进行跳恰木活动。跳恰木结束后，将“巴令”抬出山门

跳恰木

外，用火焚烧，活动结束。送“巴令”即把一年之中的晦气和灾病等不好的东西全部送走或清除。

修缮召庙筹备处

瑰丽肃穆的席力图召

位于呼和浩特市玉泉区石头巷北端、大召斜对面的席力图召，是一座融汉、蒙古、藏、满等民族文化于一体的大型寺庙，始建于明朝，距今已有四百多年的历史。

经过清康熙、雍正、乾隆、咸丰、光绪五朝的扩建修葺，席力图召殿宇宏丽，喇嘛过千，香客如云；新建了普会寺、广寿寺、延禧寺等寺庙，内部增设了学习研究宗教的组织却伊拉学部（哲学部）和卓德巴学部（密宗学部）。

现今的席力图召占地面积为一万三千余平方米，建筑面积约五千平方米。寺庙坐北朝南，山门前有过街牌楼一座，为三间四柱七楼式，楼顶铺绿色琉璃瓦。山门前还雄踞石狮子一对。

山门面阔三间，为歇山顶式建筑；两旁开两门，为砖砌仿木结构垂花门，雕工精致。

入山门的第一进院，两侧有钟鼓楼

席力图召

和厢房，院内宽敞明亮，院北端正中是面阔五间的菩提过殿，殿前有旗杆一对，矗立于方形柱础上。

过殿以北为第二进院，东有跨院，内建白塔，两侧为春庙。过殿的北面还有碑亭两座，庙院正中为大经堂。

席力图召的经堂建在一座九级台阶的砖砌高台上，面阔七间，前为藏式平顶，后连歇山顶。藏式平顶中间置一鎏金相轮于白石基座上，其两侧各立角觽 。歇山顶中间有鎏金宝顶，两端为巨大的鸱尾，表面雕以云龙图案。整个殿顶铺绿色琉璃瓦。殿四周为藏式围墙，墙外镶以蓝色琉璃砖。经堂庄严肃穆，十分气派。

经堂前东侧院内的白塔，据记载是席力图呼图克图九世所建。由于席力图呼图克图七世、八世早夭，故建此塔以供长寿佛。塔为覆钵式塔，是内蒙古地区现存最完好的一座塔。塔体通身用汉白玉雕砌而成，通高十五米。塔建在一个砖砌方台上，其下为束腰座，座基全

席力图召长寿佛塔

用白石条砌成。

束腰座四面正中刻有火焰图案，旁刻两头站立的狮子。束腰座四角立盘龙石柱。束腰座上为阶梯式塔座，分五级内收，最下一级刻有图案、花纹，上面四级刻梵文六字真言。

覆钵式塔为宽肩型，南面正中砌出火焰形佛龛，其上是石刻十三相轮。相轮上覆以宝盖，宝盖上置铜制星月。整座白塔的纹饰都用五彩绘制，色彩对比鲜明。

席力图召规模宏大，建筑瑰丽。这里的每一处建筑都精美绝伦，一草一木都散发着静谧的气息。席力图召被认为是喇嘛教寺院建筑的典型范例，在我国古代建筑史上具有特殊的地位。

巧夺天工的五塔寺

位于呼和浩特市旧城东南部的五塔寺，原名为“金刚座舍利宝塔”，因塔座上有五座方形舍利塔，故名“五塔寺”。

整座塔由塔基、金刚座和顶部五个玲珑宝塔三部分构成。

塔基用青砖砌筑、白石镶边。正门处有石阶。

金刚座舍利宝塔

塔基高虽然不足一米，但占地面积较大。塔基上是须弥座。

金刚座共七层，每层都出挑窄檐，装饰琉璃瓦当、滴水。最下一层上有用蒙古文、藏文和梵文三种文字刻写的《金刚般若波罗蜜经》。

金刚座的外壁上雕有许多佛龛，佛龛内塑一尊佛像，两侧是宝瓶柱。

佛龛中的小佛像造型比例得当、神态各异，称得上古代雕刻艺术的杰作。

这些小佛像原来全部做了贴金工艺，但经过几百年的风蚀雨淋，大部分佛像上的金箔已经流失，只有个别佛像可见贴金痕迹。

金刚座上有五座小塔，分别代表金刚界五佛。

北京真觉寺的金刚宝座塔与呼和浩特的这座金刚座舍利宝塔建筑风格最为相近，均塔上有塔，但金刚座舍利宝塔在密檐塔之上又加了覆钵式塔的造型，可谓匠心独具。

这五座塔的造型相同。方形密檐式

塔用绿琉璃瓦挑窄檐，装饰瓦当、滴水，塔顶是一个小喇嘛塔，形成塔上有塔的景观。

喇嘛塔上有日月的造型。南面的两座喇嘛塔雕有狮子的形象，北面的两座喇嘛塔雕有象的形象。中央的塔最高，有七层；四隅的塔略低，有五层。这五个塔的下部均有须弥座。四隅塔的须弥座没有装饰。中央塔的须弥座的南面正

金刚座浮雕

中镶嵌着一块汉白玉石，上面雕有一双“佛足”，传说是佛祖释迦牟尼留下的“佛迹”。“佛足”的两侧为象雕。须弥座的北面正中雕刻法轮，两侧为狮。西面正中雕刻法轮，两侧为马。东面正中雕刻法轮，两侧为羽人。四隅塔第一层的浮雕图案是一佛、二菩萨，佛结跏趺坐在莲花座上，菩萨站立，神态自然。

塔的照壁上嵌有三幅石刻画，分别为《须弥山分布图》《六道轮回图》《天文图》，其中，《天文图》是用蒙古文标记的，是我国唯一一幅用少数民族文字标记的天文图，具有较高的科研价值。

这幅《天文图》直径一米有余，是以北极为中心的放射状的“盖天图”，采用单线和双线并用的阴刻手法刻绘而成，线条匀称。《天文图》的左侧下方有一个长方形的署名框，刻有星座图例，并有“钦天监绘制天文图”的字样。

这幅《天文图》是根据清雍正年间钦天监绘制的天文图刻绘的，是有实测依据的。图中所绘的夏至圈、冬至圈是此前的天文图所没有的。把藏码用于天文图也是首次。

1961 年，我国著名建筑学家梁思成和著名作家叶圣陶一行来此参观，盛赞五塔建筑之精美。

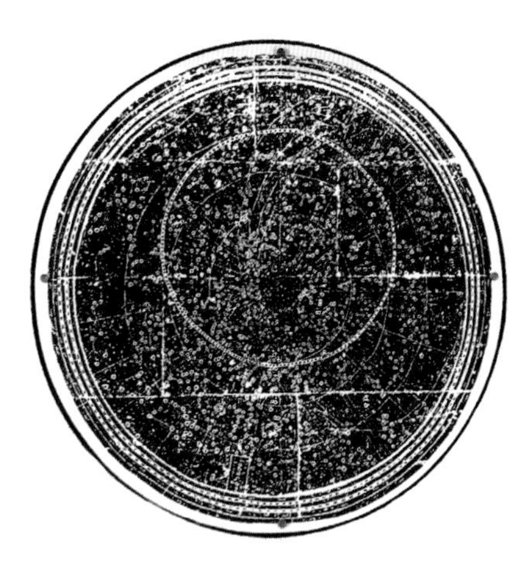

五塔寺《天文图》拓片

依山傍水的乌素图召

乌素图召坐落在大青山南麓呼和浩特市回民区攸攸板镇乌素图村西沟口的台地上。“乌素图”为蒙古语，意为“有水的地方”。

乌素图村依山傍水，山沟里杏柳成荫。

乌素图召为当地旧有的七座寺庙的

乌素图召庆缘寺

绿树掩映乌素图召

总称。七座寺庙以庆缘寺为中心，东有长寿寺，西有茶坊庙，东北有法禧寺，西北有药王庙，正北有罗汉寺，再往北还有一座法成广寿寺。然而，随着岁月的流逝，而今只有庆缘寺、法禧寺、长寿寺和罗汉寺被完整地保存下来，其中以庆缘寺最为著名、规模最大，是乌素图召的主寺。

庆缘寺于明万历十一年（公元 1583 年）开始修建，于明万历三十四年（公元 1606 年）建成。清乾隆四十八年（公元 1783 年）又添建殿堂，次年由清政府赐名“庆缘寺”。

庆缘寺内的壁画内容极为丰富，有历史人物、佛教故事、山水花鸟等。这些壁画特色鲜明，均由蒙古族工匠设计

寺内一隅

绘制。

其他几座寺庙都是在庆缘寺之后修建的，与庆缘寺的建筑风格基本一致——融汉、蒙古、藏式建筑风格于一体。

法禧寺在庆缘寺的东北方向，建筑别致，内外装饰华丽，是诸寺中最富有特色的一座寺院。据考证，该寺为乌素图召第三代活佛罗布桑旺扎勒于清雍正三年（公元1725年）所建，清乾隆五十年（公元1785年），清政府赐名“法禧寺”。

长寿寺在庆缘寺的东面。这座寺院在清代先后修葺了六次，所以寺中的彩画和泥塑到中华人民共和国成立后仍保存得比较完好。

罗汉寺在庆缘寺的正北面，是第三代活佛罗布桑旺扎勒在清雍正三年（公元1725年）建造的寺院，和法禧寺同建，规模较小。

春暖花开的时候，乌素图召美景怡人。

山中庙宇喇嘛洞召

喇嘛洞召位于呼和浩特市土默特左旗毕克齐镇北七八公里处的大青山中。寺庙三面环山，南为宽阔的洞沟。

银洞山犹如一道色彩斑斓的巨大屏风，高高矗立在寺庙之北。

铜山横亘于寺庙东侧，山势较缓，山上松柏疏密有致、如伞如盖。

寺庙之西是狮山。峰巅劲松，如吼狮竖鬣，跃然欲奔。在落日余晖中攀上狮山，远眺“牛角独秀”，别有洞天。

虎头山卧于寺庙东北，俨如守护诸佛宝座之猛虎。

从寺庙向西北行十几里，是巍峨险峻的金銮殿峰，传说康熙皇帝曾避暑于此。立足峰巅，极目南望，可见土默川阡陌纵横，村镇星罗棋布，哈素海波光潋滟。

这里，清泉淙淙，溪水潺潺——泉水裂石而出，夏日清冽，冬不结冰；溪水斗折蛇行，叮叮咚咚，如琴似筝。这里，春来山杏泛红，草木点翠；盛夏山丹怒放，群芳争妍；金秋层林尽染，林涛滚滚；冬则雪卧山野，银装素裹。非但四时之景各异，且严冬无砭骨寒风袭扰之忧，酷暑无高温蒸烤之烦。由早及晚，空气清新，无烟尘之污染，花香、松香袭人。

寺庙坐落在银洞山的南坡，由前、后两寺组成。

前寺凡四重，有天王殿三间，供奉四大天王；大经堂四十九间，楼两层，每层七楹；大殿二十五间，供奉弥勒佛

喇嘛洞召后寺

等佛像，殿前悬挂清政府钦赐的用汉、蒙古、满、藏四种文字镌刻的金字“广化寺”匾额；二殿为欢喜佛殿；东西八角楼供奉十八罗汉和观音菩萨；另有十殿阎君殿七间。各殿佛像均用黄铜制成，栩栩如生。

后寺建在山腰上，凿山为洞，建楼三层，塑有全寺最大的坐佛。寺前石阶共一百二十四级。寺内供奉的佛像及经

坐落山中的喇嘛洞召

卷颇多。

喇嘛洞召的第一世活佛博格达·察罕是一位来自西藏的高僧。他于明万历年间来此山洞长斋诵经、坐禅苦修、讲经说法。明天启七年（公元 1627 年），博格达·察罕在禅中坐化，众弟子将其遗体以坐姿密闭于山洞内。后将山洞修为佛寺。清顺治十五年（公元 1658 年）始，在山下扩建殿堂，形成广化寺。

这里山清水秀，气候宜人，慕名来此的游人莫不为其如画的风景所陶醉而流连忘返。

清雍正二年（公元 1724 年），清政府赐给喇嘛洞召度牒四十道，凡持钦赐度牒的喇嘛均可享受清政府俸禄。清乾隆四十八年（公元 1783 年），清政府再次赐给喇嘛洞召度牒六十道。

值得一提的是，在抗日战争中，抗日游击队在此打尖、宿营，侦察人员来此隐蔽，都得到过广化寺喇嘛的热心帮助。

巍然耸立的万部华严经塔

位于呼和浩特市赛罕区白塔村西南的万部华严经塔，俗称“白塔”。1982年，万部华严经塔被国务院确定为全国重点文物保护单位。

元代名臣刘秉忠行经丰州城时，曾

万部华严经塔

作诗一首："晴空高显寺中塔，晚日平明城上楼。车马骈阗尘不断，吟鞭斜袅过丰州。"时至今日，丰州城高耸的城墙早已坍塌，只有城中那座壮丽的佛塔依然矗立。

关于万部华严经塔的具体建筑年代，目前尚未见到可靠的文字记载，只知其大约建于辽兴宗至道宗时期（公元1031—1101年）。辽代的佛教文化非常盛行，修建了很多佛塔。万部华严经塔因保存佛经而得名，又因通体漆白垩土而称"白塔"，是现存辽代佛塔中保存较好的一座。

我国保存下来的古塔中，北方的辽塔和南方的宋塔占了很大比例，辽塔壮丽，宋塔秀致。万部华严经塔即为辽塔的代表。

万部华严经塔为砖木混合结构的楼阁式建筑，八角七级。塔的第一层南面有门，上有"万部华严经塔"匾额。

万部华严经塔台基设双层须弥座。每面双层束腰间，以蜀柱隔四壶门为装饰；上设平座铺作，斗拱间以四种不同花卉做装饰；铺作上承刻有“卐”字纹和花卉图案的双层砖砌勾栏板；再往上为三层仰莲瓣，莲瓣由下而上渐次伸出，逐层增大，由人工砍磨成型砌筑而成。

万部华严经塔局部

塔身七层，每一层都饰有门或窗，门又有板门、槅扇门、券门等变化。每层斗拱间均饰以四种花纹，花纹之下的普拍枋下嵌四面铜镜。七层塔身中，又以第一、二层最为精美。这两层塔每面的门或窗两旁都塑有菩萨或天王像，有窗者，窗上再塑一小佛像；每面两侧柱子为浮雕龙纹柱。

白塔塔心设壁内折上式梯道，通行上下。一、二级为单路梯道，二级以上均为双路通道。回廊正面内侧塔心壁均设龛室，为供奉佛像、存放经卷之地。塔的第七层无塔心壁，塔室中空如庭。

自辽至金、元时期，丰州城凭借地理位置之利，得到很好的发展。万部华严经塔一层内壁上曾镶嵌着九块金代石碑，现存六块，从碑文中可知当时丰州城的布局。各层回廊壁上还保存有金大定二年（公元 1162 年）到清朝末期的历代游人用汉、蒙古、藏、契丹、女真等文字书写的四百余条题记，记录了有关丰州城的一些历史信息。

塔刹自下而上，用刹杆将覆钵体、相轮、宝珠、宝盖、宝瓶串联起来。

元末，丰州城被废弃，几百年的繁华化作南柯一梦。明代中后期，在丰州城以西不远，一座新城——归化城拔地而起。

阴山古刹五当召

扫码查看
★同系列电子书
★内蒙古纪录片

五当召位于包头市石拐区，因召前有五当沟峡谷而得名。

五当召仿照西藏喇嘛教寺庙而建，藏式建筑风格明显，是我国著名的藏传佛教寺院。

五当召占地三百多亩，有殿堂僧舍等共两千五百余间，规模宏大。主体建筑坐落在山谷内一处凸起的坡地上，东

五当召

西两侧的山麓、平地上分布着一些附属建筑和僧舍。

五当召的建筑多为平顶梯形楼式结构，上窄下阔；屋檐处有一条土红色边麻装饰，其上又饰有金色的法轮；外墙表面涂抹一层厚达数厘米的石灰。部分建筑下方还有红色柱廊。

五当召的主体建筑由八座大殿（现存六座，即苏古沁独宫、却伊拉独宫、洞阔尔独宫、当圪希德独宫、阿会独宫、喇弥仁独宫，这里的“独宫”指经堂、佛殿）、三座活佛府（洞阔尔活佛府、甘珠尔活佛府、章嘉活佛府）和一座安放历代活佛骨灰灵塔的苏波尔盖陵以及九十四栋喇嘛住宿土楼组成。

苏古沁独宫是五当召最大的建筑，三层楼的大殿高达二十二米。

一楼前厅是经堂，后厅是藏经阁。经堂内有八十一根方柱贯通上下，每根都用织有彩色龙纹的栽绒毯包裹着。经堂顶部悬挂着各色经幡；地上排列着坐榻，上面铺着藏式绒毯。经堂正中是释迦牟尼像和一些菩萨像，个个神态安详。墙壁上有关于释迦牟尼佛传说故事的彩绘，构图复杂，富含深刻的宗教哲理。还有表现清代少数民族草原生活的彩绘，是研究清代少数民族生活和文化的珍贵资料。大门两侧墙上绘有四大天王像，旁边还有《六道轮回图》。

二楼供奉着释迦牟尼和藏传佛教格鲁派（黄教）创始人宗喀巴及众佛的铜像，东西两侧墙上泥塑须弥山的洞窟中有泥塑的十八罗汉。天井北壁绘有西藏布达拉宫、色拉寺、噶丹寺及山西五台山等著名佛寺图。

三楼主要陈放曼陀罗铜城，即祭供、修道的坛场，铜质，圆底，上面制成宫殿的形态，底部做成城墙状。铜城铸有宫殿楼阁、须弥山等，工艺精美，是清代铸铜工艺之精品。

每年农历七月二十四到八月初一，这里都会举行“嘛呢”法会。法会期间，信众云集，喇嘛们七天七夜不停地诵经，主诵“唵嘛呢叭咪吽”六字真言。

五当召法会

从总体布局上看，五当召建筑群不见中轴线，也无山门、围墙、正殿和厢房的配置，但经工匠们的精心设计，整体看上去错落有致又和谐统一，丝毫不显支离破碎和重复雷同。

据统计，五当召内有金、铜、木、泥各种质料的佛像万余尊，高者数丈，小者盈寸。还有成千上万幅壁画和唐卡，内容包括历史人物、山水花鸟和神话、佛教故事等，艺术价值很高。召内各殿保存的壁画总面积达一千零五十平方米，居内蒙古寺庙壁画规模之冠。

五当召这座藏品丰富的“宗教艺术博物馆”为后人研究蒙古族及藏族的宗教信仰、历史文化和建筑艺术提供了珍贵的资料。

「城寺家庙」美岱召

位于包头市土默特右旗美岱召村的美岱召，原名“灵觉寺”，是内蒙古地区重要的藏传佛教建筑之一。这座“城寺结合，人佛共居”的喇嘛庙依山而建，南临黄河，是全国重点文物保护单位。

从平面布局上看，美岱召整体呈一不规则的方形，四周筑有又高又厚的城墙，墙体用黄土夯筑，内外表面包镶大

美岱召

块河卵石。南墙正中设城门，城门上有垛口及一座二层歇山顶城楼。城墙四角有凸出的马面，上有重檐角楼各一座。院内主体建筑分布在中轴线上，两侧有附属建筑。因为是先建城后建寺，中轴线上的建筑与城墙的基线并不平行。

进入城门，首先映入眼帘的就是大雄宝殿，其由三座重檐歇山顶式建筑组合而成。这种由数殿组合而成的建筑为勾连搭式建筑，既扩大了面积，又朴实壮观。

大雄宝殿前殿为大经堂，其外观虽为二重檐式，但内部并不分层，并借用上层窗户来采光。当年，这里是喇嘛们念经聚会的场所。

进入大佛堂，你会发现殿内同样不分层。殿内四壁满绘图案，从腰线一直绘至天花板。北壁正中绘有释迦牟尼巨像，其左手持钵，右手施降魔印，结跏趺坐于莲花座上；左右为迦叶、阿难二弟子；背景为释迦牟尼的佛传故事，如太子游四门、剃发出家、牧女献乳糜、降伏魔女、得道成佛等，画面生动形象。北壁下方为四大天王及伏虎罗汉、布袋和尚画像。东壁上方为藏传佛教格鲁派创始人宗喀巴大师成道故事画；下方是玛哈嘎拉和降阎魔尊、吉祥天女等护法神像，造型诡异夸张，线条奔放流畅。

引人注目的是西壁下方的一组蒙古族供养人群像，画中人物身着明清时的蒙古族服饰，手中持念珠等宗教器物，

美岱召内壁画

表情谦恭，一心礼佛。壁画上一位头戴皮帽、身着皮领对襟袍服的老妇人，面部饱满，雍容华贵，端坐在木几上，两旁有二喇嘛侍立。还有一位身着大红比甲、头戴红缨席帽的艳装少妇，与之相对的是一位蓄须的红衣喇嘛。这些壁画上出现的蒙古族服饰是研究明清时期蒙古族历史文化及服饰等的宝贵资料。

大雄宝殿之北有一座三层歇山顶式建筑——三佛殿，殿堂内原塑有过去佛（燃灯佛）、现在佛（释迦牟尼佛）和未来佛（弥勒佛）三尊佛像，“文革”期间被毁。因殿顶铺绿琉璃瓦，人们又称其为“琉璃殿”。殿内底层墙壁上绘有藏传佛教宁玛派祖师莲花生和格鲁派祖师宗喀巴大师等画像。二楼壁画上的绿度母及诸多菩萨像，绘制时采用敷色晕染法，将肉体的形态表现得很逼真。琉璃殿的壁画风格与召内它处不同，特色鲜明。

大雄宝殿之西是乃琼庙，是一座二层方形藏式小楼，在建筑群中别具一格。

它的墙体雪白，楼顶正中装饰有法轮及宝幢。

琉璃殿西侧有一座八角攒尖的亭子，俗称八角庙。庙内壁画仍为喇嘛教内容。东南壁下方有两个表演斗力的昆仑奴，背景图案有猴子献技等，生动有趣。

大雄宝殿东北方有一座重檐歇山顶式建筑——太后庙，世传为供奉土默特部首领阿勒坦汗之妻三娘子骨灰的灵堂。它的檐墙为封闭式，无窗，仅在中部置一门。殿内原有一座覆钵式檀香木塔，

美岱召博物馆

上缀珠宝。塔被拆毁后，在塔下的地宫中发现了人骨灰、腰刀、角梳、念珠以及头饰、药盒等藏物。

召院东北角有一幢二层硬山式小楼，是为达赖庙，其左右为厢房。

召内还保存有明代古井一眼、明代松柏四棵。

美岱召是全国重点文物保护单位，召内的壁画，内容浩繁，构图宏大，具有较高的学术价值，美岱召也因此享有“壁画艺术博物馆”的美誉。

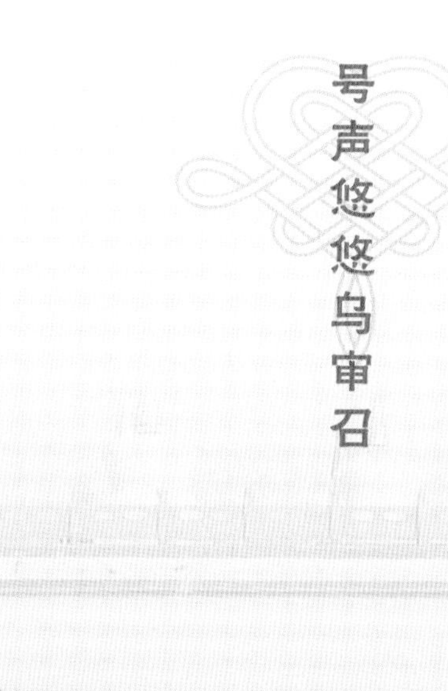

号声悠悠乌审召

据传，清朝康熙年间，一位叫囊索的喇嘛从西藏出发，在未经记载的某一天，停留在了鄂尔多斯右翼前旗（今乌审旗）这片土地上。

三百多年过去了，不知道那个时候的乌审大地是青翠碧绿还是黄沙漫漫；不知道途经这里的囊索喇嘛在那一天是被盎然的绿意留住了目光，还是被苍凉和荒芜勾起了怜悯之心。总之，他留了下来，在这里建起一座叫囊索的小庙，这就是乌审召的前身。

据载，清朝乾隆年间，鄂尔多斯右翼前旗札萨克从西藏请来一位喇嘛，这位喇嘛在来此的路上一边传经布道，一边广结善缘。途经青海塔尔寺时，他带回了两尊檀木刻制的释迦牟尼佛像，将其供在寺院的主殿内。后来寺院又派人去北京弘仁寺取来一百零八卷《甘珠尔经》，所以，乌审召亦称“甘珠尔经庙”。

清代中期至民国年间，乌审旗各地

乌审召佛殿

修建的大小寺院有四十多座，佛塔有两百余座，乌审召的扎荣嘎沙尔塔和大白塔是其中的佼佼者。

扎荣嘎沙尔塔的塔形与辽金时代的佛塔不同，也不同于西藏的覆钵式塔。塔体通高十五米。塔基呈正方形，边长为十五米，高三米。塔基以上部分如同重叠的曼陀罗，呈须弥山形。扎荣嘎沙尔塔在“文革”中被毁，2001年得以重建。

大白塔保存较好。塔体通高十多米。塔基呈正方形，边长为四米，高约两米。塔基之上为五层逐渐内收的须弥座，须弥座之上是覆钵式塔。覆钵式塔正南面为龛门，塔上为十三相轮。十三相轮顶部为日月盘。

乌审召在很长一段时期内，以它庞大的规模、完整的宗教体系统领着全旗各寺庙。

历史上，乌审召先后遭遇过四次不同程度的破坏，只剩两座小殿和一

古刹换新颜

座白塔。

1983年，乌审召恢复了正常的宗教活动；1985年，由政府拨款修复经堂一座；1991年，伊克昭盟佛教协会成立之后，会址设在乌审召；2004年，乌审旗启动了乌审召恢复和修缮工程，组织陕、甘、青等地的能工巧匠对乌审召进行了大规模修缮。

乌审召定期举办讲经会和传统庙会。庙会期间，寺庙周边商贾云集，铺面罗列，农牧民远道而来，朝拜或赶会，人数有五万之多。举办法事活动时，鄂尔多斯草原上的大小寺庙都会选派喇嘛到会诵经。

修行之所活佛府

乌兰活佛府坐落于伊金霍洛旗阿勒腾席热镇北山植物园。

乌兰活佛府总占地面积二十万平方米，总建筑面积两万七千平方米，主要由民族宗教文化展示中心、活佛府邸、闭关修行中心三部分组成。

乌兰活佛府建筑规模宏大，融汉、蒙古、藏三个民族的建筑风格于一体，

乌兰活佛府

即以藏式建筑为参照，融合中式传统院落递进的形式，形成了一种由蒙古式的主帐和分帐组合而成的新建筑风格。蒙古式穹庐让人仿佛置身于辽阔的草原，中式传统院落布局精妙、雅致大气，藏式梯形窗宛若雪域高原的眼，还有肃穆宏深的楹联匾额、庄重美观的藏式边玛墙，总之，乌兰活佛府给人以古朴、粗犷的独特美感。

乌兰活佛府的整体布局呈圆形，东、南、西、北设置四门，内部有四进的院落，依中轴线对称分布，方正规整。

一进院落为民族宗教文化展示中心，设有蒙藏佛教文化珍品展厅、内蒙古佛教历史长廊、内蒙古自治区喇嘛培训中心、民族文化展览区、内蒙古佛教寺庙长廊等展示区。其中，蒙藏佛教文化珍品展厅内的各种佛像、各色唐卡、各类法器，琳琅满目。比如佛像，释迦牟尼佛、无量寿佛、观音菩萨自不必说，还有绿度母、白度母、米拉日巴尊者、马头金刚等。法器种类更是繁多,如达玛如、大法号等。让人眼前一亮的还有嘎巴拉碗，由活佛的头盖骨制成，用于盛装圣水。

二进院落为坛城殿，设有乌兰活佛府主题博物馆、礼佛区、藏经阁、唐卡展览区、坛城展览区等。

三进院落为活佛府邸，设有三世佛殿，是十二世乌兰活佛的日常生活、学习区。

四进院落为恩国殿，设有闭关修行室、四面佛殿。

乌兰活佛府既是活佛的修行之所，又是一处绿树葱郁、山环水抱的旅游胜地。

二狼山中阿贵庙

巴彦淖尔市磴口县境内有一座寺庙，因坐落在阴山山脉二狼山西端的阿贵沟内，所以被称作“阿贵庙”。“阿贵”为蒙古语，意为“山洞”。

阿贵沟内悬崖危耸，巨石突兀，有许多洞穴。这些洞穴或隐于曲径山涧，或现于半空绝壁。

阿贵庙佛殿

阿贵庙始建于清代，清政府曾赐名“宗乘寺”，鼎盛时期有喇嘛四百多人。

阿贵庙是内蒙古地区唯一一座红教寺庙，曾经在西北地区产生很大的影响。藏传佛教宁玛派奉莲花生大师为祖师。据载，公元8世纪，吐蕃赞普赤松德赞曾邀请其到西藏传播密教。因宁玛派喇嘛戴红帽，故又称藏传佛教宁玛派为“红教”。

阿贵庙东面有一座汉代石城——鸡鹿塞。近年来，经巴彦淖尔市文物工作者考证，呼韩邪单于与王昭君回到漠北以后，因内部纷争，曾避居鸡鹿塞石城达八年之久。

最早的阿贵庙实为现在的莲花生洞。莲花生洞内供奉莲花生塑像，诵经、礼佛、祈福等佛事活动均在这里举行。洞门右侧有一巨大的钟乳石柱，为镇洞之宝。洞门外的一块悬石上有一赤脚印，传说是莲花生大师所踩。悬石下绝壁千仞，“能工巧匠不能至也，鬼斧神工不能为也”，世人因此对悬石上的赤脚印的由来百思不得其解。

从阿贵庙顺沟下行五百余米的东山腰间有条崎岖的盘山小道，拾阶上行约四百米，会看到壁间有一山洞，

阿贵庙佛塔

这便是洪羊洞。该洞呈弓形，洞壁上有两个一米见方的洞穴，均用石头镶边。洞内有台阶，台阶下有深洞，用大石板盖着。洞里的红土是蒙医常用药材之一，可用来消炎、止痛。

有一景点与阿贵庙一山之隔，叫作夫妻石。相传，莲花生大师离开阿贵庙时，众人请求他留下可医治百病的奇方妙药。莲花生大师赐予人们洪羊洞的玉光土和格尔敖包沟内的泉水，并派金童玉女守在泉边。后来，金童玉女因动了凡心，被莲花生大师作法变为夫妻石。

到了春暖花开之时,这里层峦叠翠，清溪泻玉，山花烂漫，芳香醉人。

锡林郭勒贝子庙

贝子庙，汉名“崇善寺”，位于锡林郭勒盟锡林浩特市北部的额尔敦陶力盖敖包南坡下。

清雍正年间，有一位名叫巴拉吉尔隆德布的活佛从青海一路传教来到锡林河畔。这位活佛深受贝子巴拉吉尔道尔吉的赏识。清乾隆六年（公元 1741 年），巴拉吉尔道尔吉邀请巴拉吉尔隆德布活佛到贝子府传经。为了表达对活佛的敬意，贝子为活佛建了一座小庙。随着听教人、出家人的增多，小庙变得拥挤不堪。于是，清乾隆八年（公元 1743 年），贝子开始修建规模宏大的庙宇，建庙所用砖瓦、木、石及供奉的佛像、经卷等多是从张家口、多伦、北

京等地运来的，有的甚至是从青海、西藏等地运来的。

当年建庙时，还有一段关于选址的传说：贝子巴拉吉尔道尔吉环顾水草丰美的草原，一时竟不知将庙址选在何处为好。他率众人踏查了宝勒根山、热宝拉格尔山、格义阿木山，但都不理想。最后，当众人来到北面的额尔敦山时，发现绿草丛中盛开着许多黄色小花，大

贝子庙朝克沁殿

家禁不住欢呼雀跃起来，因为在藏传佛教中，黄色代表着崇高和圣洁。就这样，庙址选在了额尔敦山下。

贝子庙四周平坦开阔，水草丰美，景色宜人。特别是到了夏季，绿茵茵的草地上牛羊遍野，河水潺湲，花香、草香弥漫。

贝子庙朝向独特，坐西北而面东南，与蒙古包的朝向相同。从当地的气候条件和自然环境来看，这种设计科学合理——冬季有利于抵御从西北方向刮来的寒风，夏季有利于凉爽空气的进入。

贝子庙是集汉、蒙古、藏等民族文化艺术于一体的古建筑瑰宝，是历史上著名的藏传佛教学府。贝子庙建筑面积约两万平方米，整个建筑群以朝克沁殿、明干殿、却日殿为中心，辅以珠都巴殿、满巴殿、宗喀巴殿、丁克尔殿、新拉布仁殿等。

贝子庙内珍藏的经卷典籍十分丰富，其中，比较贵重的有《甘珠尔经》《丹珠尔经》《宗喀巴全集》《佛学要义》《经咒》等。

2006年，贝子庙被国务院批准列入第六批全国重点文物保护单位名单；2008年，被命名为国家AAAA级景区。

解放战争时期，贝子庙作为中共锡察巴乌工委驻地，是内蒙古地区重要的革命根据地。

贝子庙内存有大量反映蒙古民族历史文化和社会生活的壁画，是研究蒙古族历史和传统文化的宝贵资料。同时，贝子庙也见证了锡林浩特市及其周边地区两百多年来政治、经济、历史文化、民族宗教、社会风俗和科学艺术的发展变迁。

云台峰下福因寺

贺兰山位于内蒙古自治区与宁夏回族自治区交界处，是我国西北地区的重要地理界线。云台峰是贺兰山的第八高峰，海拔三千余米。

在多云的季节，云台峰就像一位含羞的少女，在薄纱般的云雾之中若隐若现。登上云台峰，可朝看林海日出，晚观大漠黄昏。当地文人还曾写下“登罢云台不看岳，贺兰此峰最幽奇”的诗句。

福因寺

云台峰的不凡，在于它的茫茫林海。山风骤起时，林涛呼啸，群山呼应，犹如万马奔腾，令人惊心动魄；微风掠过时，林木轻舒枝叶，飞鸟时鸣，流水叮咚，在山林间的空地上小憩，倾听大自然的奏鸣曲，让人心旷神怡；风止之时，山林寂静，群峰脉脉，独行登顶，物我两忘。

云台峰的别样风景还有怪异的山石。步行登峰，山道两边常见怪石嶙峋，有的如奔马飞腾，有的似虎啸山林……身临其境，如在梦幻之中。

福因寺，又称“北寺”，位于阿拉善左旗境内，坐落于贺兰山云台峰脚下。周围丘陵起伏，山泉回绕，松柏常青，畅游其中，犹如置身世外桃源。

福因寺建筑以典型的藏式风格为主，亭、堂、殿、阁一应俱全。主庙西侧建有一座白塔，高约十米，与主庙遥遥相对。佛学大师阿旺丹德尔（公元 1759—1840 年）曾在福因寺修行，并在这里圆寂。

清同治八年（公元 1869 年），福因寺首次遭毁。光绪三年（公元 1877 年），

寺内一隅

经过道布曾呼图克图的努力，部分殿堂始获修复。民国二十一年(公元1932年)，阿拉善和硕特旗札萨克达理札雅捐资修缮了朝克沁大经堂，使这座殿堂比以前更加雄伟壮丽。后寺庙再次被破坏，直至1982年才重新修复。

福因寺内建有一座纪念一生充满传奇色彩的阿旺丹德尔大师的塔。阿旺丹德尔是一位精通蒙古文、藏文及梵文的著名学者和佛学大师，在国际学术界颇有声望，是蒙藏语法大师、辞学家、翻译家、宗教哲学家、文学家、诗人，是阿拉善最有影响力的历史文化名人之一。

阿旺丹德尔七岁时出家，在定远营延福寺学习经文。十八岁时，阿旺丹德尔赴藏修习深造，在西藏名刹哲蚌寺研究佛经及“五明学”（以语言文字为主的声明，以工艺、技术、历算为主的工巧明，以医学为主的医方明，以逻辑学、辩论术为主的因明，阐述佛教自宗之学的内明）二十四载，以超众的学识和优异的成绩在全藏佛理大统考、大答辩中

福因寺阿旺丹德尔像

一鸣惊人，被授予拉萨经学院制最高学衔——拉隆巴学位（相当于博士）。之后，阿旺丹德尔返回故乡，在延福寺任朝克沁大经堂的掌堂师。四十四岁时，阿旺丹德尔被迎回福因寺，成为福因寺历史上第一位拉隆巴。

阿旺丹德尔一生用蒙古文和藏文两种文字撰写了四十余部著作，是国际蒙藏语言文字学界公认的大学者（只有精通“五明学”的高僧才有资格获此殊荣）。同时，阿旺丹德尔还是推动蒙藏文化事业发展的先驱，他对蒙藏文化的传承与发展所做的贡献是举世公认的。

阿拉善左旗广宗寺

广宗寺因位于巴彦浩特镇以南，又被称为“南寺”，是一个集藏传佛教文化景观与贺兰山自然风光于一体的国家AAAA级旅游景区。

从阿拉善盟巴彦浩特镇自驾到广宗寺，大约有三十公里的路程。贺兰山西坡南端有一峡谷，峡谷两侧的山不高，山壁上有很多用蒙古文、藏文刻写的六字真言和仓央嘉措作的诗歌；转过弯

广宗寺

儿，还会发现山壁上雕绘着许多彩色佛像——这里有内蒙古地区规模最大的佛教岩刻壁画群。

路两边的山垭口或坡上,经幡猎猎。转过一座城堡似的山梁便豁然开朗，前面是一环山的开阔地，山势在开阔地边缘陡然升高。

传说当年仓央嘉措经白拉姆女神指点，来到贺兰山下阿拉善一带时，发现此地天似八辐金轮，地如八瓣莲花，于是决定在这里建庙弘法。

广宗寺依山而建，规模宏大，错落有致。鼎盛时，寺内有僧侣一千五百多人，有“小塔尔寺”之称。

广宗寺始建于清乾隆二十二年（公元1757年），由班自尔扎布台吉之子阿旺多尔济遵照其师仓央嘉措遗愿所建。

广宗寺的庙与庙之

间建有僧房。伙房内安有一吨多重的青铜铸锅，可储存四吨多水。庙建成后，阿旺多尔济从超格图呼热庙（昭化寺）迎请来仓央嘉措的法体供奉在庙里，尊其为该寺的第一代活佛。清乾隆二十五年（公元1760年），清政府御赐用汉、蒙古、满、藏四种文字书写的“广宗寺”匾额。清道光年间，该庙进行了扩建，并将阿拉善旗札萨克囊都布苏隆的灵柩

广宗寺大经堂

供奉在寺内。清同治八年（公元1869年），广宗寺在兵乱中被烧毁，光绪年间修复。

广宗寺主要建筑有大雄宝殿、大经堂、黄楼寺等。仓央嘉措的法体供奉在黄楼寺内的宝塔中。黄楼寺是一座两层楼阁式建筑，分前、后两部分，前部有八十一间屋，后部有四十九间屋，全部用黄、绿色琉璃瓦砌成，极为富丽。

后 记

在中国版图上，内蒙古自治区如厚实的脊梁挺立在北方。这里有壮丽神奇的自然风景、独具魅力的人文景观、特色浓郁的民俗风情、丰富多元的旅游文化；这里的人民团结一心，在中国共产党的正确领导下，沿着中国特色社会主义道路不断前进，经济社会发展实现历史性跨越。

内蒙古人民出版社组织策划的这套全方位展示内蒙古风采的《“亮丽内蒙古”文化普及口袋书》，在内蒙古自治区党委宣传部和内蒙古出版集团的精心指导和大力支持下，成功立项并入选“亮丽内蒙古”重点图书出版工程。能够参与丛书的编写，我深感荣幸，感谢内蒙古人民出版社给我提供了这样的机会。

由于时间仓促,加之笔者水平有限，书稿不尽完美，在编校出版过程中，内蒙古人民出版社民族历史文化读物出版中心的编辑老师付出很多心血，她们认真负责、精益求精，使丛书在短时间内保质保量出版，在此，对各位编辑老师表示深深的谢意。

希望这套口袋书可以向读者展示一个真实生动、色彩斑斓的内蒙古，让更多的人了解内蒙古、认识内蒙古、爱上内蒙古。

编者

2021 年 9 月于呼和浩特市